De tanden van Kapitein Kraai

Eoin Colfer

De tanden van Kapitein Kraai

Vertaald door Annelies Jorna
Illustraties van Tony Ross

Pimento

Voor Alessandra

NEDERLANDSE
KINDERJURY
2007

Oorspronkelijke titel *The Legend of Captain Crow's Teeth*
Tekst © 2006 Eoin Colfer
Oorspronkelijke uitgever Penguin Books Ltd., Londen, Engeland
Nederlandse vertaling © 2006 Annelies Jorna en Pimento,
Amsterdam
Omslag en illustraties © 2006 Tony Ross
Omslagbelettering DPS, Davy van der Elsken
Zetwerk ZetSpiegel, Best
www.pimentokinderboeken.nl

ISBN 90 499 2109 4
NUR 282

Pimento is een imprint van Pimento BV,
onderdeel van Foreign Media Group

Inhoud

HOOFDSTUK 1

Brabbeltaal

O ns hele gezin gaat elke vakantie naar een caravan aan zee. We persen ons allemaal in een slaapkamertje dat zo klein is als een kattenbak. We slapen met open ramen. Als jij ook broers hebt, snap je wel waarom.

Ik heb vier broertjes: Martin, Donnie, Bert en HP. Mama zegt dat wij binnen tien tellen meer schade aanrichten dan een vulkaan.

Je denkt vast dat ze overdrijft. Je denkt natuurlijk: dat zal wel meevallen. Maar het is

echt waar. Ik zal je eens iets over mijn broertjes vertellen. We beginnen met de kleinste.

Broertje 5: HP (Halfje Pils). Je zou denken dat een joch van vijf weinig kwaad kan. Maar HP mag dan klein zijn, hij is heel erg slim.

Op een dag gingen we naar ons nieuwe neefje kijken. HP zag dat baby's kunnen doen wat ze willen zonder dat iemand boos wordt. Toen besloot hij dat hij ook weer baby wilde zijn. Na die dag kon HP een half jaar lang alleen nog brabbeltaal uitslaan. Wij wisten dat het nep was, maar mama en papa schrokken zich een ongeluk.

Dat ging dan zo:

Papa: Toe maar, joh. Wat heb ik in mijn hand? (Een banaan.)

HP: Eh... Bah.

Papa: Nee. Niet bah. Denk na, HP. Het is fruit, en jij vindt het erg lekker. Het is een ba...

HP: Naan.

Papa: Ja! Goed zo. Naan. En nu het hele woord.

HP: Naan-naan-naan... bah.

(Toen legde papa zijn hoofd in zijn handen en gaf het op. Donnie en Bert staken hun duimen op naar HP.)

Broertjes 4 en 3: Donnie en Bert. Ik noem ze samen, omdat ze samenwerken. Zie je de een, dan is de ander in de buurt. Donnie voert hun streken uit, en Bert staat op wacht. Mama plakte vroeger briefjes op spullen waar Donnie en Bert niet aan mochten komen.

AFBLIJVEN! stond er op de bak ijs.

NIET AANKOMEN! stond er op de doos met chocola...

En op de koektrommel: IK HOOP VOOR JOU DAT JE HANDSCHOENEN AANHEBT. IK KAN NAMELIJK VINGERAFDRUKKEN NEMEN OM JE OP TE SPOREN.

Dat briefje was ook als leesles bedoeld. Mama was vroeger schooljuf.

Mama zette de trommel hoog in de kast, maar Donnie en Bert klommen als apen tegen de planken op. Daarna moest mama de koekjes in slablaadjes rollen en ze in de achterbak van de auto verstoppen.

Broertje 2: Willem. Dat ben ik. Een aardige jongen en een aanwinst voor iedere groep. En dat verzin ik niet zelf: het staat in mijn rapport van school.

Broer 1: Martin. Mijn grote broer. Martin weet dat hij voor straf een week in zijn kamer wordt opgesloten als hij een klein broertje aanraakt. Dus verzint hij andere manieren om ons te pesten.

Meestal ben ik de klos. Martin weet dat ik

bang ben voor spoken, en dus haalt hij aller-
lei spokenstreken met me uit. Ik kan wel drie
schriften volschrijven met de rottigheid die hij
uithaalt.

HOOFDSTUK 2

De tanden van
Kapitein Kraai

Die hele vakantie waren we druk met zwemmen, vlotten bouwen en krabben in elkaars schoenen stoppen. Het dorp Hoogkust was een geweldige vakantieplek voor jongens. We hadden een boot, surfpakken, een boomhut en vishengels. En dit jaar had ik de minidisco om naar uit te kijken.

De minidisco wordt elke week gehouden voor

kinderen van negen tot elf jaar. Minidisco klinkt stom, maar ik popelde om erheen te gaan en met de groten mee te doen. Martin mocht vorige zomer al, en van zijn verhalen kreeg ik een hoofd vol beelden van toffe kids die bij een fantastische lichtshow dansten. Er

werd zelfs beweerd dat de rockband U2 zou komen optreden.

De avond voor de eerste minidisco van de zomer kon ik niet slapen. Het lag niet aan de disco. Het lag aan Martin, die ons doodsbang

maakte met zijn geliefde spookverhaal: de tanden van Kapitein Kraai. We lagen allemaal in onze slaapzakken in een kamertje dat voor twee bedden was bedoeld, maar papa had er nog drie bij getimmerd van oude latten en planken.

Elke nacht wachtte Martin tot we bijna sliepen, en dan begon hij aan zijn verhaal. Als je bijna slaapt, geloof je alles. 'Horen jullie dat ook?' vroeg hij. 'Er staat iemand bij het raam.'

'Ik hoor niks,' zei ik, al wist ik best dat Martin ons voor de gek hield.

'Bahbah,' zei HP, die er nog graag op los brabbelde.

Martin knipte zijn zaklamp aan en richtte het licht op HP. 'Doe normaal, HP.'

'Ook goed,' zei HP, die niet op zijn achterhoofd was gevallen.

'Misschien was het niets,' ging Martin verder.

Hij richtte de lamp op zijn eigen kin, en dat
gaf enge schaduwen. 'Maar het kan ook Kapitein Kraai zijn geweest, op zoek naar de jongen
die een bijl in zijn voorhoofd heeft geslagen.'

'Martin,' zei ik, 'je maakt de kleintjes bang.'

'Dat vinden we leuk,' riep Bert.

'Ja. Maak het maar goed eng,' zei Donnie.

'Een lang verhaal met veel bloed en zo.'

'Jij je zin,' zei Martin, die opeens de lamp uitdeed. Het donkere hokje werd nu zwarter dan inkt.

Hij zweeg even. Hij wachtte tot we flink de zenuwen kregen van de stilte en het donker, en toen begon hij met zijn verhaal.

'Het gebeurde driehonderd jaar geleden,' zei hij, met een hese, trillende stem. 'Op de zee bij Hoogkust heerste een wrede piraat, die Kapitein Kraai heette. Er was geen piraat op alle wereldzeeën die zo vals en gemeen was als Kapitein Kraai. En hij stonk nog ook.'

Wij stelden ons een kapitein voor die een beetje op Martin leek, maar dan met een baard.

'Kraai en zijn bende piraten lokten schepen

naar de rotsen. Ze deden het licht van de vuurtoren uit, en op de rotsen staken ze een vuur
aan. De schepen koersten dan naar stuur-
boord, recht op de rotsen af. Daar stonden
Kraai en zijn mannen te wachten. Ze plunder-
den de gestrande schepen. Ze droegen de buit
naar hun eigen schip, de Salomé, en zeilden

weg naar hun schuilplaats. Soms hadden ze zo'n rijke buit dat ze de schatten opstapelden op rotsen in zee, die alleen bij eb te voorschijn komen. Als de lamp van de piraten op die rotsen scheen, glinsterden en fonkelden ze in de nacht als de gouden tanden in de mond van Kapitein Kraai. Die rotsen kregen de naam...'

'De tanden van Kapitein Kraai,' fluisterde ik.

'Plasje doen?' zei HP.

Martin knipte zijn lamp aan. 'Laat dat!'

HP stopte met het babytaaltje. 'Ik bedoel: wacht je even tot ik terug ben van de wc?'

'Eén minuut. Schiet wel op.'

HP klom van het drie rijen hoge stapelbed. Hij rende naar de kleine wc in de caravan. Ik wil wedden dat hij even bleef staan voor een knuffel van mama, om moed op te doen voor de rest van het verhaal.

'Het gebeurde op een winternacht. Het stormde hard,' ging Martin verder toen HP weer in zijn slaapzak lag. 'De Salomé liet het anker zakken bij de kaap van Hoogkust. Kraai en dertig gemene piraten kwamen in roeibootjes aan land. Ze hadden kwaad in de zin, en ze waren tot hun tanden gewapend met zwaarden, dolken en zagen.'

'Zagen?' zei Donnie. Die verwachtte je niet zomaar.

'Ja. Zagen. Om alles los te kunnen zagen wat ze in het wrak vonden. Alles... en iedereen.'

HP rilde van angst, en het hele stapelbed rilde met hem mee.

'De piraten namen de vuurtoren over zonder een schot te lossen. Toen staken ze op een andere rots hun eigen seinlichten aan. Op dat rotsblok hebben zoveel gemene zeerovers gezeten dat de meeuwen er nu nog niet op willen landen. En wie wel op die rots zit, krijgt een koud, akelig gevoel in zijn billen.'

Ik wreef over mijn eigen billen. Het was waar. Ik had eens op die rots gezeten, omdat ik werd uitgedaagd. En ik had de hele week daarna nog een kil gevoel aan mijn billen gehad.

'Nog geen uur later verscheen er een schip aan de horizon. Het was de Vrouwe Jacoba. Ze wilden om de kaap van Hoogkust zeilen... maar ze wisten niet dat ze op het valse piratensein af koersten. En dus liepen ze op de gevaarlijke rotsen van Hoogkust.'

Je zag het voor je. Dat was niet zo moeilijk, met de wind die om de caravan huilde en de golven die vlakbij tegen de rotsen beukten.

'Kapitein Augustus Kraai en zijn mannen gingen aan boord van het wrak. Ze brulden en zwaaiden met hun zwaarden. Hun fakkels flakkerden. Ze sloten de bemanning en de passagiers op in een hut. Ze namen alles mee uit het ruim, zoveel als ze konden dragen. Kraai zelf brak de deur van de kapiteinshut open, want de grootste schatten werden altijd in de

kluis van de kapitein bewaard. In de hut trof hij niet de kapitein aan, maar een scheepsjongen die zich daar verstopt had.

Kraai keek op het jochie neer met zijn zwarte kraalogen. "Zo zo zo, wat hebben we hier?" zei hij.

Het joch gaf geen antwoord. In plaats daarvan haalde hij zijn arm achter zijn rug vandaan. Hij had een kleine bijl vast.

Kraai lachte, een gruwelijke, gemene lach. "Kom eens kijken, mannen," riep hij. "Dat ketelbinkie hier gaat ons aan mootjes hakken."

Maar nog terwijl hij die grap maakte, zwaaide de scheepsjongen al met zijn bijltje. Kraai keek om en zag nog net hoe de bijl in zijn voorhoofd neerkwam. Kraai stortte neer en riep nog uit: "Zo'n scheepsjongen zie je niet vaak."'

Martin zweeg, en niemand zei iets. Dat was een goed teken. Als we het saai hadden gevon-

den, hadden we Martin overspoeld met stomme vragen om hem te pesten. Zoals: 'Had de scheepsjongen een hond?' Als we niets vroegen, vonden we het erg spannend.

'Kraai werd door zijn mannen teruggedragen naar het schip, en de scheepsarts bekeek de wond. Die scheepsarts was eigenlijk slager van zijn vak. "Als we die bijl eruit halen, vallen de hersens van de kapitein uit zijn hoofd," beweerde die vent. Dus lieten ze de bijl zitten. De smid van het schip vijlde de bijl af, tot er nog een piepklein stukje ijzer van over was. Dat glom op het voorhoofd van de kapitein als een halvemaan.

Na tien dagen hoge koorts kwam Kraai weer bij, en zijn eerste woorden waren: "Waar is die jongen?" De piraten wisten het niet. In de haast om de kapitein te redden had niemand eraan gedacht om de scheepsjongen gevangen te nemen.

De piraten gingen terug naar Hoogkust, maar op geen enkele manier konden ze erachter komen waar de scheepsjongen was. Het bleef een raadsel. Kapitein Kraai was woedend. Die jongen had hem voor de rest van zijn leven knallende koppijn bezorgd. Kraai wilde wraak nemen. De rest van zijn leven zocht Kraai de wereld af naar de jongen van de bijl.

Vijftien jaar later ontdekte het leger eindelijk de schuilplaats van Kraai. Voordat de soldaten de hele boel met hun kanonnen kapotschoten, zei Kraai nog: "Ik zal terugkomen om die jongen te vinden."'

'Hoe weet je wat zijn laatste woorden waren?' vroeg Bert. 'Hoe kan iemand dat weten, als de hele boel kapot werd geschoten?'

Martin had zijn antwoord klaar. 'Eén piraat overleefde het. Jantje de Vinger. Die had maar één vinger, en hij verdiende zijn brood met het schoonpeuteren van geweerlopen.'

'Mooi,' zei Bert tevreden.

'En dus zeggen de mensen dat de geest van Kapitein Kraai nog steeds over de rotsen spookt. Soms zie je bij vloed dat er licht komt van de rotsen onder water die bekendstaan als de tanden van Kapitein Kraai. Dan kun je er zeker van zijn dat het spook op zoek is naar de scheepsjongen. En als hij een jonge jongen vindt die in het holst van de nacht over de rotsen loopt, zal hij die jongen meenemen op zijn spokenschip.'

Bert stelde de vraag waar ik het antwoord niet

op wilde weten. 'Hoe oud was die scheepsjongen?'

Martin knipte de lamp aan en scheen er recht
mee in mijn gezicht. 'Hij was negen. Willem,
ken jij iemand die ook negen jaar is?'

Ik slikte. Zo iemand kende ik. Ikzelf.

HOOFDSTUK 3

De minidisco

De volgende dag vroeg ik mijn vader naar de tanden van Kapitein Kraai. 'Heb je de rotsen weleens zien oplichten, pap? Net als in het piratenverhaal?'

Papa en ik zaten op de muur van de kade te vissen. We wilden mul vangen, een bruine vis die vaak bij de ingang van de haven zwemt.

Papa haalde zijn lijn in. 'Ik zal je eens wat zeggen, Willem. Toen ik nog klein was, heb ik het een keer meegemaakt. De hele rij rotsen lichtte op. Het leek net een mondvol gouden tanden, maar dan vlak onder de zeespiegel. En de mensen dachten toen echt dat Kapitein Kraai was teruggekomen. Wij, de kinderen, mochten niet meer op de rotsen komen, voor het geval het spook ons zou meenemen.'

'Ben je toch gegaan?' Kinderen doen wel vaker dingen die niet mogen.

Papa lachte. 'Diezelfde avond nog zijn we met een groepje de rotsen op gegaan.'

'Was je niet bang?'

'Doodsbang,' zei papa. 'Eerlijk gezegd durfden we niet bij de tanden te komen. Een jongen draaide zich om en vluchtte, en toen gingen we allemaal achter hem aan. Stel je voor, we dachten echt dat die oude Kapitein Kraai daar op ons wachtte.'

'Maar wat is het dan wel, als het de kapitein niet is?'

'Het is fosforescentie,' zei papa.

'Fos-foor-watte?' vroeg ik.

Papa hakte het woord in stukjes. 'Fos-for-escen-tie. Het zijn zeevonkjes. De zee geeft alleen licht als heel kleine algjes door de golven in beweging komen. Ze gaan dan gloeien in het donker. Het is wetenschap, en het heeft niets met spoken te maken. Maar ik vind de uitleg van de piratentanden leuker.'

Ik niet. Ik vond de wetenschap leuker. Geleerden duiken niet uit zee op om jongens te ontvoeren naar een spookschip.

'Hoe vaak geeft de zee licht?'

'Daar op de piratenrotsen? Bijna nooit. Ik heb het maar één keer gezien.'

Mooi zo, dacht ik. Bijna nooit. En áls het al gebeurt, is het wetenschap. Het is geen spook. Het is gewoon wetenschap.

Papa grinnikte. 'Maar geleerden weten ook niet alles.'

Ik slikte. 'Hoezo?'

'Nou, wat geloof je eerder? Algjes die zonlicht

eten en vonkjes uitspugen? Of spookachtige schatten van een piraat?'

'De algjes,' zei ik hoopvol.

'Vind je? Geef mij maar het piratenverhaal.' Papa deed zijn mond wijd open en lachte hol en spookachtig. 'Ha-ha-ha, ik kommm je ha-aalen...'

Ik wist dat hij een grapje maakte, maar ik kon er niet om lachen. Jongens van negen houden niet van zulke grappen.

De grote avond van de minidisco brak aan. Martin en ik gingen onder de douche en we smeerden gel in ons haar. Ik had nog nooit gel gebruikt en het voelde alsof ik een hoofd vol plakkerige slangen had. Ik wilde de gel eruit kammen, maar Martin zei dat het tof was.

'Anders hoor je er niet bij,' zei hij. 'Alle jongens hebben stekels. En de meiden zijn gek op jongens met stekels.'

Ik bekeek mezelf in de spiegel. Mijn hoofd zag eruit alsof iemand er een doodsbange kat op had gelijmd.

'Vind je het echt tof?'

'Tuurlijk,' zei Martin. Hij deed nog een klodder gel in zijn haar. 'Ik heb het toch ook? Dan moet het wel tof zijn.'

Donnie, Bert en HP stonden op ons te wachten toen we de badkamer uit kwamen. Ze vonden ons zo grappig dat de hele caravan schudde van hun gelach.

'Bah-bah hoofd,' zei HP in zijn brabbeltaal.

'Dit is tof!' sprak ik tegen.

'Jongens toch,' zei mama. 'Laat ze maar kletsen, Willem. Meisjes vinden het leuk als jongens op hun uiterlijk letten.'

'Willem is verliefd,' dreunden Bert en Donnie, en ze zwaaiden erbij met hun achterwerk. Dat was gebarentaal om de spot te drijven met een jongen die van meisjes houdt.

'Mam!' klaagde ik. 'Ze zwaaien met hun billen naar me!'

'Weg jullie! En neem je billen mee,' zei mama tegen mijn drie kleine broertjes.

De kleintjes gingen weg, maar ze zwaaiden nog steeds met hun billen.

Mama keek ons aan. 'Ga zitten, jullie twee, en luister goed naar me voor je weggaat.'

'Jullie twee' waren Martin en ik. We wrongen ons op de bankjes langs de tafel in het zitgedeelte. Papa en mama wurmden zich op het andere bankje.

'Vandaag is de grote dag,' zei papa. 'Onze twee oudsten gaan naar de disco.'

Martin stak zijn hand op. 'Beste ouders, ik heb die preek vorig jaar al gehad. Mag ik gaan?'

'Nee. Sommige mensen moeten hem twee keer horen.'

'En wat bedoel je daarmee?'

'Nou, hoe vaak heb ik niet gezegd dat je niet van de grond mag eten? En tóch pakte je een oud stuk kauwgom op en brak je je voortand erop. Weet je hoeveel die stifttand kost?'

Martin begreep dat hij verslagen was, zuchtte diep en ging weer zitten.

'We moeten jullie vanavond wél kunnen vertrouwen,' zei mama. 'Je mag nu helemaal alleen op de fiets ergens heen.'

'We gaan de wereld niet uit, mam,' zei Martin.
'De disco is aan het eind van de weg naar het
dorp. Als je op het dak van de caravan staat,
kun je hem zien.'

'Daar gaat het niet om,' zei papa. 'En we zijn
echt niet van plan om de hele avond op het
dak te gaan staan wachten tot jullie terug zijn.'

'We gaan niet eens alleen. We gaan met een
heel stel.'

Papa keek naar mama, en toen naar Martin.
'Ik denk dat ik jullie maar met de auto breng.'

'Nee!' piepte Martin. 'Je mag ons niet brengen. Dan verpest je alles. Ik zal heel verstandig
doen. Echt waar. Ik zal naar het journaal kijken voor we gaan. Zullen we over politiek
praten?'

Papa stak zijn handen op. 'Goed, goed. Maar dit wordt wel een vuurproef. De disco is om tien uur afgelopen. Ik geef jullie een half uur om thuis te komen. Als jullie er dan niet zijn, kom ik je met de auto halen en dan breng ik

jullie pyjama's mee. Die met de knuffelbeertjes erop. En ik zal ervoor zorgen dat iedereen ze ziet!'

Martins mond viel van schrik open. 'Niet doen, hoor!'

Papa lachte. 'Wacht maar af. Laten we hopen dat het niet nodig zal zijn.'

Mama gaf me een vel papier uit haar schrift. 'Lees voor,' zei ze streng.

Ik begon te lezen: 'Wij, Martin en Willem Bosman, zullen ver... verantwoord...'

'Verantwoordelijk,' zei mama.

'Verantwoordelijk omgaan met het vertrouwen dat onze fan... fantas...'

'Fantastische ouders.'

'Fantastische ouders in ons hebben. En als we de regels overtreden, krijgen we er zoveel last mee dat onze gelukkige jeugd verandert in een nachtmerrie.'

'Gelukkige jeugd,' herhaalde papa. 'Prachtig vind ik dat. En wat zijn de regels, Willem?'

Ik las verder. 'Regel één: regelrecht naar de disco, en daarna regelrecht naar huis. Geen kattenkwaad onderweg.'

'Je vertrouwt ons toch zeker wel?' vroeg Martin. Hij trok een gezicht alsof hij beledigd was. Papa nam niet eens de moeite daar antwoord op te geven. 'Regel twee, Willem.'

'Regel twee: niet van de weg af gaan. Zet geen voet op de rotsen.'

'En als je het toch doet?'

'Als we het toch doen, komen we niet meer alleen de deur uit tot we oude opa's zijn.'

'Is dat alles?' vroeg Martin. 'Waar moet ik tekenen?'

'Begrijpen jullie die simpele regels goed? Of moeten we ze nog een keer voorlezen?' vroeg mama. 'Tussen haakjes, Willem: goed gedaan. Je hebt mooi voorgelezen.'

Martin wiebelde heen en weer van ongeduld. 'We snappen het best. Mogen we nu weg? Anders komen we te laat. Straks zit mijn haar weer plat.'

Mama wilde dat we voor haar kwamen staan. 'Laat me eens goed kijken.' Ze bekeek ons van top tot teen. 'Schone tanden. Gek haar, maar dat zal wel mode zijn. En met zoveel gel krijg je vast geen luis.'

Papa gaf ons allebei twee euro. 'Voor chips en cola.'

Martin keek naar zijn munten. 'Waarom krijgt Willem een munt van twee euro en ik twee munten van een euro?'

'Dat is hetzelfde.'

'Dat is niet hetzelfde. Als het hetzelfde was, zouden we allebei één munt hebben.'

'Wat maakt dat nou uit?'

'Een munt van twee euro is beter dan twee munten van één euro. Dát maakt het uit,' zei Martin, alsof het heel logisch was.

Ik wilde weg. 'Hier, neem jij die munt van twee euro dan.'

Martin keek me kwaad aan. 'Ik wil hem niet van jou krijgen. Papa moet hem zelf aan me geven, want ik ben de oudste.'

Martin was de koppigste elfjarige van de hele wereld. Hij zou nooit toegeven, zelfs niet als het betekende dat we de disco zouden missen.

Ik gaf mijn munt aan mijn vader. 'Pap, geef jij hem aan Martin?'

'Ja, als ik daarmee oorlog voorkom,' zei papa, en hij flipte de munt naar Martin.

Martin liet het geld in zijn broekzak glijden. 'Oké,' zei hij. 'Te paard. We gaan!'

De drie kleintjes hadden een afscheidsliedje voor ons gemaakt. Ze stonden op een rijtje bij de caravan voor de voorstelling en begonnen aan hun billenzwaai-dans zodra we buiten kwamen. 'Willem is verlie-hiefd,' zongen ze. 'Willem is verlie-hiefd.'
HP deed ook mee, met zijn babystem.
'Waarom pesten jullie Martin niet?' vroeg ik.
HP fluisterde in mijn oor, zodat papa en mama het niet hoorden: 'Zo stom zijn we niet.'

Het was niet waar. Ik was niet verliefd. Ik gaf niet eens om meiden, en ook niet om dansen. Ik had met dansen geoefend in de piepkleine wc van de caravan en daarbij twee rollen wc-papier de pot in gemept. Ik ging alleen naar de minidisco omdat mijn vriendjes gingen en ik laat op mocht blijven. Met een beetje geluk hoefde ik niet eens te dansen.

We stapten op de fiets en reden weg. We moesten een fiets delen, en als jongste broer zat ik

achterop. Het was een veel te smalle bagage-drager.

Martin deed onderweg zijn best om door elke kuil te fietsen. 'O jee,' riep hij dan over zijn schouder. 'Dat deed toch geen pijn, hè?'

Ik kon me alleen maar vastklampen en hopen dat ik van al dat gehots en gebots niet nóg slechter zou gaan dansen.

Martin keek de voorlamp na. 'Op de terugweg is het pikkedonker. Ik heb helemaal geen zin om in het donker over deze weg te fietsen. Je weet nooit wie er in de bosjes verstopt zit.'

'Laat maar, Martin,' zei ik. 'Mij maak je niet bang met je spookverhalen. De kleintjes geloven misschien in Kapitein Kraai, maar ik niet.'

'Het is nogal makkelijk om dapper te zijn als het licht is. We zullen eens zien of je nog steeds niet in Kapitein Kraai gelooft als het straks pikkedonker is.'

Martin is er een kei in om je doodsbang te maken. Zelfs op een zonnige zomeravond zorgde hij ervoor dat ik aan later dacht, als het stikdonker werd en ik weer in spoken geloofde.

In de disco van Hoogkust was het al druk. Ik kende bijna iedereen: jongens en meisjes uit het dorp en van de camping. Martin liep zo zwierig naar binnen alsof hij de held van de disco was, knipoogde naar de meisjes en gaf de jongens een stomp op hun schouder.

'Waar is de lichtshow?' vroeg ik hem.

'Daar,' wees Martin. Ik zag een paarse tl-buis aan het plafond. Hij was niet eens aan.

'Is dat alles?!'

Martin grinnikte. 'Wat dacht je dan? Een super-lasershow?' Zijn vrienden sloegen dubbel van het lachen.

Ik was razend. Weer voor de gek gehouden.
Waarom trapte ik altijd in zijn geintjes?
Opeens viel Martins mond open. 'Kijk daar!
U2!'
'Waar?' hijgde ik.
'In je dromen,' zei Martin, en hij lachte zich
krom. 'Hier is geen kunst aan.'

Ik zag er niet zo tof uit als ik hoopte. En het werd nog erger. Een oudere man ging op een klein podium staan en tikte tegen de microfoon.

'Hallo, kids,' zei hij. Het was meneer Brand, de vuurtorenwachter van Hoogkust. 'Welkom bij de minidisco. We hebben veel nieuwkomers, en die zijn misschien nog wat verlegen. Daarom beginnen we met de Jan Pierewiet.'

De Jan Pierewiet? Wat was de Jan Pierewiet?

'Wat is…?' Maar verder kwam ik niet. Martin greep mijn hand en scheurde met me door de zaal, brullend als een dolgedraaide leeuw. Iemand greep mijn andere hand. Het was een van Martins stapelgekke vrienden. Hij brulde ook luidkeels.

'Wat is de Jan Pierewiet?' riep ik, boven het gebrul en gestamp uit.

'We maken twee kringen,' antwoordde Martins vriend tussen het gebrul door. 'De jongens aan de buitenkant, de meisjes in de binnen-kring. Als de muziek ophoudt, dans je met de meid tegenover je.'

Met de meid tegenover me dansen? Ik keek wel uit!

Meneer Brand zette een kleine cd-speler aan en

hield de microfoon bij de luidspreker. Springerige volksdansmuziek vulde de zaal.

Martin wervelde de zaal rond en maakte sprongen op de maat van de muziek. De rij jongens groeide aan, tot iedereen meedeed. Binnen onze kring maakten de meisjes een eigen kring, met hun gezichten naar ons toe. En nu bereikte Martin de laatste jongen van onze rij, zodat onze kring ook rond was. De jongens gingen de ene kant op en de meiden de andere kant. Ik pikte de andere nieuwkomers er zo uit: die keken net zo zenuwachtig als ik me voelde.

Meneer Brand boog zich naar de microfoon. 'Als de muziek ophoudt, pak je je partner bij de hand voor een ouderwetse wals.'

We draaiden rond tot ik er duizelig van was. Meisjes flitsten langs, een en al tanden en haren. Ik dacht dat ik niet goed werd.

De muziek stopte. Martin en zijn vriend lieten mijn handen los en sprongen naar voren om hun partners op te eisen. Nu snapte ik het! Als de muziek ophield, danste je met degene die tegenover je stond.

Ik keek op naar het meisje voor me. Ze was minstens twee koppen groter dan ik, en zo te

zien was ze niet blij dat ze met een nieuwe werd opgezadeld.

'Waarom zit je haar zo gek?' vroeg ze, en ze wees naar mijn plakkerige stekels.

Ik ben er dus een van vijf broers. Leer mij niet om lik op stuk te geven. 'Waarom is jouw gezicht zo gek?' vroeg ik.

Het meisje balde haar vuist en gaf me een dreun tegen mijn schouder. Die kwam hard aan. Ze was al weg voordat mijn pijn weg was. Ik rende naar de jongens-wc en verstopte me tot de wals voorbij was.

Ik kwam net op tijd van de wc af om meegesleurd te worden in de volgende Jan Pierewiet. Het meisje met wie ik nu moest dansen, keek me heel even aan en barstte toen in tranen uit. 'Waarom ik?' snotterde ze. 'Waarom moet ik altijd met de griezels?' Toen haalde ze een mobieltje uit haar zak en belde haar moe-

der om te vragen of ze meteen opgehaald kon worden.

Bij de derde Jan Pierewiet deed een meid gewoon alsof ik lucht was. Ze keek dwars door me heen en zuchtte diep. 'Nou, ik ga maar eens zitten,' zei ze en ze maakte dat ze van de dansvloer kwam.

Het was wel duidelijk dat niemand met deze nieuwe wilde dansen. Trouwens, geen van de meiden wilde met nieuwe jongens dansen. Alle negenjarigen moesten het zonder danspartner doen, en dus gingen we op een kluitje bij de deur staan en hoopten uit alle macht dat het snel tien uur werd. Nog een paar van die Jan Pierewiet-rondjes en we zouden vrij zijn.

Maar we hadden pech.

Om tien voor tien deed meneer Brand een zwarte ooglap voor zijn ene oog en gromde met een zeeroversstem in de microfoon: 'Hebben we hier ook ketelbinkies van negen?'

Ik niet, dacht ik. Ik ga niet zeggen dat ik negen ben, zeker niet tegen die nep-piraat.

Maar ook nu was Martin paraat om me in de problemen te brengen. 'Hier staat er een!'

brulde hij, en hij stak mijn hand in de lucht.
'Pas uit de luiers.'
Ik trok mijn hand weg, maar het was te laat –
ze hadden me gezien.
'Ahaaa. De jonge Bosman. Kom jij maar eens
hier in het midden staan.'

Ik wilde niet, maar Martin hielp me met een harde duw op weg. Ik struikelde naar het midden van de dansvloer, die opeens leeg was. Daar stond ik niet lang alleen. Er kwamen een heleboel andere negenjarigen bij, ook verraden door hun broers of zussen. We stonden op een kluitje, als bange hazen omringd door wolven.

Meneer Brand merkte wel dat we bang waren, want hij praatte met zijn eigen stem verder. 'Wees maar niet bang, jongens. Het is maar een grapje. Een spookachtig grapje!'

Toen gingen de gewone lichten uit en het paarse tl-licht aan het plafond ging aan, maar de zaal bleef er duister bij. Het paarse licht scheen op grote muurschilderingen die ik nog niet had gezien. Er stonden bloeddorstige piraten op, met gouden tanden en zwaarden en musketten. Ze torenden boven ons uit, met gezichten alsof ze zich op ons wilden storten.

Wij in het midden vielen zowat om van schrik.
De grotere kinderen juichten wild.
'We spelen dit spel elk jaar met de nieuwko-
mers,' ging meneer Brand door. 'En het heet…'

'DE KEUS VAN KAPITEIN KRAAI!' brulden de grote kinderen, die hier vast de hele avond op gewacht hadden.

'Juist,' zei meneer Brand. 'De winnaar wordt gekroond als de keus van Kapitein Kraai en krijgt een mooie prijs. De regels zijn simpel. Kapitein Kraai is iets kwijt wat hem dierbaar is, en hij wil dat jullie het voor hem zoeken. Maar dat gebeurt in het donker. Als de muziek begint, gaan alle negenjarigen de vloer afzoeken.'

'Waar zoeken we naar?' vroeg de jongen naast me.

Meneer Brand grinnikte. 'O, dat merk je wel zodra je het vindt. De oudere jongens en meisjes gaan nu tegen de muur zitten en moedigen hun favoriet aan.'

'Ik doe niet mee!' riep ik, maar de muziek speelde al en niemand hoorde me. De muziek was een griezelig piratenlied dat de oudere kinderen al uit hun hoofd kenden.

'Zestien mannen op een doodskist,
yo-ho en een fles met rum.'

Dit is geen feestje, dacht ik. Dit is een martelpartij.

Het leek alsof de geschilderde piraten boven onze hoofden bewogen. De zaal trilde van de muziek en stampende voeten, en de negenjarigen botsten tegen elkaar op bij het zoeken naar het ding dat Kapitein Kraai zogenaamd kwijt was.

Wat een onzin, dacht ik. Ik maak dat ik wegkom.

Ik viel op mijn knieën en kroop bij de groep vandaan. Behalve het paarse licht brandde er nog maar één ander licht: dat met het bordje UITGANG. Daar wilde ik heen. Het leek heel ver weg.

Snel kroop ik over de vloer. Ik probeerde niet te letten op de stukjes weggegooide kauwgom die aan mijn handen plakten, of op de plasjes cola die mijn broek natmaakten. Aan het vrolijke gekrijs achter me kon ik horen dat de andere nieuwe kinderen het spel leuk vonden, maar ik wilde niet de keus van Kapitein Kraai worden, zelfs niet voor de grap.

De groten schreeuwden en krijsten naar de kinderen van negen waar ze moesten zoeken. Maar ik lette er niet op. Het laatste wat ik wilde was het kwijtgeraakte ding van Kapitein Kraai vinden.

Ga rechtdoor naar de uitgang, zei ik tegen mezelf. Je bent er bijna.

Toen raakte ik iets aan. Of liever: ik zette mijn hand in iets engs. En het enge ding begon aan mijn vingers te knagen.

'Aaagg!' gilde ik. Ik sprong overeind. 'Een rat!'

'Mooi,' zei meneer Brand vlak naast mijn oor. 'Ik geloof dat we een winnaar hebben.'

De lichten gingen weer aan en ik zag dat er aan mijn vinger een nep-gebit hing. De tanden waren goud geverfd.

Meneer Brand had naast het gebit staan wachten tot iemand het per ongeluk vond. Hij stak

mijn arm in de lucht alsof ik een bokskam-
pioen was.

'Willem Bosman heeft de tanden van Kapitein
Kraai gevonden! En dus krijgt hij de prijs!'

Prijs. Oké, dan had ik die prijs verdiend ook.
Ik had tenslotte de tanden gevonden.

Meneer Brand trok me naast zich op het podium. Daar maakte hij een speelgoedkist open
en hij begon me te vermommen als piraat.
Eerst kreeg ik een ooglapje en een hemd. Toen
een speelgoedzwaard. Hij bond een zwarte
sjerp om mijn middel. Als klap op de vuurpijl
kreeg ik een hoed met een doodskop op.

'Waar is mijn prijs?' vroeg ik.

'Die heb je op je hoofd,' fluisterde meneer
Brand vanuit zijn mondhoek. Hij pakte de microfoon weer op. 'En dan nu groot applaus
voor Willem, de nieuwe scheepsjongen van
Kapitein Kraai!'

Iedereen juichte, alsof het geweldig was om de scheepsjongen van een spook te zijn. Ik vond het helemaal niet geweldig. Stel dat Kapitein Kraai dat gejuich hoorde en kwam kijken wat er aan de hand was? En als hij een scheepsjongen moest kiezen, wie zou hij dan nemen? De sukkel met het piratenpak, natuurlijk.

HOOFDSTUK 4

op de rotsen

Na de minidisco stond Martin buiten bij de fiets op me te wachten. Hij was niet alleen. Er zat een meisje achterop. Op mijn bagagedrager! Ik schrok nog meer toen ik zag dat het die meid was die me een dreun op mijn schouder had gegeven bij de eerste Jan Pierewiet.

Ik rukte aan Martins schouder tot zijn oor vlak bij mijn mond was. 'Wat doet zij achterop?' fluisterde ik. 'Stuur haar weg. We moeten terug. Halfelf, weet je nog?'

Martin zuchtte en sloeg zijn arm om mijn schouders. 'Hoor eens, Willem. De mooie Maria heeft me gevraagd haar een lift naar het dorp te geven.'

'Maar het is een meid,' fluisterde ik. 'We willen niet met meiden uit. En ze heeft me geslagen.'

Martin grinnikte. 'Echt? Jemig. Leuke meid.'

'Papa zei half elf, Martin. Anders mogen we nooit meer alleen weg.'

'Half elf. Haal ik makkelijk.'

Het drong niet meteen tot me door. 'Natuurlijk haal je dat niet. Je hebt niet genoeg tijd om Maria weg te brengen en daarna mij op te halen. We moeten haar lozen.'

'Wat zeg je?' vroeg Maria.

Ik verstopte me achter Martin. 'Niets. Ik bedoelde het bij de disco niet zo, hoor, van je gezicht. Je bent mooi. Echt.'

'Klopt,' zei Martin. 'Ik heb geen tijd om twee keer heen en weer te fietsen. Jij moet alleen teruglopen over de rotsen en bij de camping op me wachten.'

Ik lachte. 'Ik dacht even dat je zei dat ik alleen terug moet lopen over de rotsen.'

Martin grinnikte. 'Goed zo, joh. Ik wist wel dat je het zou begrijpen.'

Ik had het niet meer. 'Martin! Ben je gek geworden? Ik kan toch niet over de rotsen terug! Regel twee: zet geen voet op de rotsen. Dat staat in ons contract.'

Martin wilde opstappen. 'Papa en mama komen er nooit achter. Als je hier blijft, zitten we allebei in de puree. Dus kun je maar beter over de rotsen gaan en op tijd thuis zijn.'

Ik greep zijn arm. 'Maar denk dan aan...'

'Kapitein Kraai? Wou je dat zeggen? Je gelooft toch niet echt dat hij je komt halen, alleen omdat je negen bent en de tanden hebt gevonden?'

Dat geloofde ik nou net wél. Maar ik kon het nu niet meer toegeven. 'Tuurlijk niet. Dat is gewoon een stom spookverhaal. Ik bedoel dat het te donker is op de rotsen. En de maan is er niet eens.'

Martin rolde met zijn ogen. 'Goed dan, watje. Pak aan.' Hij gaf me de lamp van de fiets. 'En blijf op het pad.'

Mooie boel. Stuurde die gek me de rotsen op, maar hij waarschuwde nog wel voor het gevaar.

'Martin, toe nou.'

'Waar maak je je druk om? Je hebt toch een zwaard?'

Een zwaard! Dat nep-zwaard van karton dat ik gewonnen had. Een konijn zou er nog niet bang van worden, laat staan een piratenspook.

Maar het had geen zin om Martin tegen te spreken. Als hij iets besloten had, hield hij voet bij stuk.

'Tot over een half uur,' zei ik. Ik knipte de lamp aan. 'Bij de camping.'

Martin stapte op de fiets. 'Zorg dat je er bent. Als je er niet bent, zeg ik tegen papa dat je met een vriendinnetje mee bent gegaan.'

'Dat is niet eerlijk!' riep ik de fiets na. 'Ik heb de pest aan meiden!'

'Wat zeg je?' riep Maria.

'Ik heb de pest aan meiden,' schreeuwde ik, terwijl ik over het modderpad naar de rotsen rende. 'En helemaal aan jou!'

Het pad over de rotsen naar huis was veel korter dan over de weg. Maar het was ook veel gevaarlijker. Er waren spleten, poeltjes en enge schaduwen, waarin van alles schuil kon gaan. En de tanden van Kapitein Kraai waren er ook nog! Het was op dat moment vloed, en de tanden van Kapitein Kraai zouden dan twee meter diep onder water liggen.

Zo snel als ik durfde, holde ik verder. Je moet

uitkijken op de rotsen, vooral in het donker. Soms groeit er zeewier over het pad, en als je uitglijdt, kun je in de diepte storten, het water in. Ik kende het pad wel een beetje, maar niet goed genoeg om 's avonds laat over de rotsen te kunnen rennen. Niemand kent ze zo goed.

Bij elke stap die ik deed dacht ik aan Kapitein
Kraai. Het was allemaal onzin, dat kon niet
anders. Ik geloofde niet in spoken, en al helemaal niet in spoken met gouden tanden die op
scheepsjongens van negen jaar jagen. Toch
wilde ik maar dat ik al tien was, of zelfs nog
acht. Alles liever dan negen jaar!

Ik wilde het piratenpak uitdoen, maar als ik dat deed, zou ik toegeven dat Kapitein Kraai op de rotsen spookte. Dus hield ik alles aan, behalve het ooglapje dan. Het was te stom om met maar één goed oog over de gladde rotsen te lopen.

Ik kende de naam van alle rotsen waar ik langs kwam. De witte streep. De meeuwsnavel. De kabeljauwpunt. Daarna kwamen de tanden van Kapitein Kraai. Als ik de volgende rotspunt om kwam, zou er echt geen licht onder water zijn. Echt niet. En al was er wel iets, dan was het gewoon fosforescentie. Geen piratentanden. Maar er zou niets te zien zijn. Tuurlijk niet.

Ik richtte de fietslamp op het pad voor me. Als ik strak naar het pad bleef turen, zag ik de rotsen niet eens. Niet dat het erg was als ik de rotsen zag. Het waren maar rotsen. Maar ik ging niet kijken. Voor alle zekerheid.

Maar ik keek wel. Ik kon er niets aan doen. Héél even liet ik mijn ogen over het water glijden. En dat was net lang genoeg om de spookachtige flits onder water te zien. Een gouden gloed. De tanden. Ik verzin het niet. Het water lichtte op, alsof er een halvemaan op de zeebodem lag.

Ik bleef stokstijf staan.

Het kon niet waar zijn. Het kon niet! Door al dat geklets over Kapitein Kraai ging mijn fantasie met me op de loop. Ik deed mijn ogen dicht en telde tot vijf.

Nu ben je weg, gloed, zei ik in mezelf. Opgeruimd staat netjes.

Maar toen ik mijn ogen opendeed, flitste het water opnieuw. Een gouden halvemaan, gemaakt van een miljoen gouden stippen.

'Ga weg,' riep ik. 'Rot op.'

Ik weet ook wel dat alleen een gek tegen de zee gaat schreeuwen, maar ik probeerde toch maar of het hielp.

'Je bent maar fosforescentie,' schreeuwde ik tegen de gloed. 'Dat heeft niks met tanden te maken. Ik ben echt niet bang voor je!'

Dat was niet waar, maar ik wilde niet dat de piratentanden wisten dat ik bang was. Ik was natuurlijk doodsbang. Ik stond te beven als

een rietje in mijn piratenpak. Martin had gelijk. In het donker was het heel makkelijk om
in spoken te geloven.

Gewoon doorlopen, zei ik tegen mezelf.

Ik hoefde alleen maar door te lopen. Ik zag voor me de lichten van Hoogkust al. Over twee minuten was ik in het dorp. Over vier minuten kon ik in bed liggen.

Lopen! zei ik streng tegen mezelf. Lopen, idioot! Er is niks aan. Je kunt al lopen vanaf dat je een peuter was.

Maar ik kon niet lopen. Ik kon alleen maar naar het water staren en op de volgende flits wachten.

Mooie boel. Als Kapitein Kraai is teruggekomen, ziet hij dat je hier op hem staat te wachten. En als het alleen maar fosforescentie is, vinden ze je hier morgen: stijf bevroren. Lopen!

En dus liep ik, eerst langzaam, toen sneller. Het ging goed. Ik kon het weer. Straks zou het me vast weer lukken om te hollen.

'Fosforescentie,' riep ik nog eens, voor het geval de tanden van Kapitein Kraai me de eerste keer niet hadden gehoord.

Ik liep nu snel verder en probeerde niet naar de zee te kijken. Er kwamen geen flitsen meer; misschien waren er helemaal geen flitsen geweest.

Onder het lopen mopperde ik hardop, om de tijd te doden. 'Die stomme Martin met zijn stomme fiets. Die stomme minidisco. Die stomme Jan Pierewiet. En die stomme Maria. Waarom zit mijn haar zo gek? Waarom is jouw gezicht zo gek?'

Toen ik niets meer te mopperen wist, begon ik te zingen om nergens aan te hoeven denken. 'Willem is verliefd. Willem is verlie-hiefd.' Best een pakkend deuntje, eigenlijk.

Ik liep gezellig voor me uit te zingen, toen ik opeens een geluid hoorde. Een geluid dat ik nooit meer zal vergeten. Het was een ver-

schrikkelijke kreunende, krakende stem die
over het strand kwam.

'Wiiiillem!'

Ik maakte mezelf wijs dat het zomaar een ge-
luidje was, en niet een stem die mijn naam riep.
Misschien was er ergens een koe in de buurt,
die een scheet had gelaten. Maar toen herin-
nerde ik me dat er geen koeien waren op de
rotsen. Die zouden zo over de rand vallen.

'Blijf waar je bent!' riep ik. 'Ik heb een zwaard!'

Weer riep de stem, en deze keer wist ik heel zeker dat het een stem was.

'Wiiiillem!'

En dat was toch echt mijn naam.

Fosforescentie kon niet praten. Het was Kapitein Kraai, die zijn scheepsjongen kwam halen. Dat kon toch niet?

'Ik was het niet,' riep ik in het donker. 'Ik heb u niet geslagen met een bijl. U vergist u.' Het kon spoken vast niet schelen of ze zich vergisten. Wat kon het een spook schelen welke jongen van negen hij pakte?

'En ik ben nog maar acht. Echt waar.' Ik hield mijn vingers gekruist onder die leugen.

'Kommmm hierrr, scheepsjongen.'

Natuurlijk zag hij me voor een scheepsjongen aan. Ik met mijn piratenpak.

'Nee, nee! U hebt het mis. Ik ben gewoon ver-
kleed. Kijk, het zwaard is van karton.' Ik pakte het vast en scheurde het in tweeën. 'Ziet u
wel?'

'Jij bent mijn scheepsjongen. Kommmm hierrrr.'
Ik wist me geen raad. De geest van Kapitein
Kraai kwam me halen voor zijn spookschip. Ik
kon kiezen: vluchten, of doen wat hij zei. Als
ik vluchtte, zou ik vast in een gat vallen, en anders kwam Kapitein Kraai me wel achterna.
Als hij achter me aan moest jagen, zou hij me
straffen met alle zware klussen op zijn spookschip. Misschien zou hij me beter behandelen
als ik meteen deed wat hij zei.

'Kommmm hierrrr,' riep de piraat weer. 'Nu!'
'Ik kom al, kapitein,' zei ik. Ik richtte de fietslamp op de plek waar de stem vandaan kwam
en probeerde een gedaante te ontdekken in de
schaduw van de rotsen. Maar het zwart krin-

gelde als dikke stroop om de lichtbundel, en ik zag alleen maar inktzwarte duisternis met de schaduw van keien en richels.

Ik ging het pad af, de rotsen op. 'Dag meneer de kapitein. Hebt u nog hoofdpijn? Mijn moeder heeft dozen vol paracetamol. Zal ik ze thuis even gaan halen?'

'Jij gaat nóóit meer naar huissss. Jij bent uitverkoren alssss scheepsjongen!'

Even was ik meer kwaad dan bang. Die stomme Brand ook, met zijn stomme spel. 'Dat was maar een spel. Die tanden waren nep. Een nepgebit.'

En op dat moment schoot er een hand te voorschijn uit de duisternis, door het lamplicht naar mijn hemd. Het was het engste moment van mijn leven. Ik was zelfs banger dan die keer toen ik drie was en merkte dat er haar op mijn armen groeide. Martin zei dat ik een adoptie-

baby was uit een familie apen en dat ze me op een dag zouden komen terughalen.

'Blijf van me af!' schreeuwde ik. Ik wilde me losrukken, maar de hand hield me stevig vast.

'Ik wacht al heel lang op je,' zei de stem van Kapitein Kraai.

Ik begon in het wilde weg te praten. 'Het spijt me dat ik zo laat ben. Ik was naar de minidisco. Dat is een disco voor kinderen tussen de negen en elf. Ik was er met Martin. We hebben maar één fiets, en ik zat achterop. Toen moesten we de Jan Pierewiet doen. Je moet met een meisje dansen, maar soms hebben die meiden er geen zin in en laten ze je gewoon staan, maar dat weet u vast allemaal al.'

'Kop dicht!' schreeuwde Kraai. 'Jij gaat met me mee, terug naar zee!'

Op dat moment lichtte de zee op met een flits en gesis alsof er onder water vuurwerk werd afgestoken.

'Aaaaaii!' gilde Kapitein Kraai. Zijn stem klonk opeens veel minder eng. 'De tanden! De tanden!'

Kapitein Kraai liet mijn hemd los, en zijn arm verdween in de duisternis. Ik snapte er niets van.

Ergens onder me hoorde ik veel gekreun en ge-

stommel. Het klonk alsof Kapitein Kraai klem
zat tussen de rotsen. Maar spoken konden
toch niet vast komen te zitten?
'Zeg, Kapitein Kraai,' zei ik verlegen. 'Gaat het
wel?'

Ik spitste mijn oren om het antwoord te horen, al wist ik niet zeker of ik wel antwoord wilde.

Na een poosje hoorde ik geluid, alsof er water sijpelde, of misschien was het een diepe zucht.

'Willem, help me,' zei een stem uit de duisternis. 'Haal me eruit. Het is bijna half elf.'

Dit was heel gek. Wat kon het Kapitein Kraai schelen dat het bijna half elf was? Er waren maar twee mensen op de hele wereld die zich daar druk om hoefden te maken. De een was ik, en de ander was...

Ik scheen met de lamp langs de richel, recht in het gezicht van degene die daar klem zat...

'Martin!' zei ik. 'Jij bent geen piratenspook!'

Even was ik heel blij, maar dat duurde niet lang. Ik kreeg in de gaten wat er gebeurd was, en ik werd meteen woedend. 'Dit was allemaal jouw werk! Dit is weer zo'n rotgeintje van je!'

Martin keek echt schuldig, maar er was nog

iets mis. Er was iets met zijn mond. Die was anders dan anders.

'O, Martin! Je bent je stifttand kwijt!'

'Ja,' zei Martin ongelukkig. 'Ik heb hem ingeslikt.'

'Net goed. Had je je maar niet achter de rotsen moeten verstoppen en doen alsof je Kapitein Kraai was. Hoeveel heb je Maria betaald?'

'Twee euro.'

'Twee euro? Om alleen maar te doen alsof je haar naar huis bracht?'

'Ja.'

Ik had veel zin om Martin daar achter te laten, maar dat kon ik niet. Hij was en bleef mijn broer, en als we niet om half elf thuis waren, zouden we allebei straf krijgen, wie zijn schuld het ook was.

Ik scheen met de lamp langs Martins lijf. Hij zat klem in een smalle spleet, alleen zijn hoofd

stak naar buiten. Hij zat zo vast als een kurk in een fles. Zijn fiets lag naast hem. Hij moest wel gek zijn: wie fietste er nou zonder licht over het rotspad? En alleen maar om een streek met mij uit te halen.

Ik greep zijn vrije arm en trok, niet al te hard.
'Jammer, je kunt er nooit meer uit.'

Martins gezicht werd zo bleek dat het oplichtte in het donker. 'Je moet me eruit halen. De tanden van Kapitein Kraai flitsen. Heb je het niet gezien?'

Dat is gewoon fosforescentie, had ik moeten zeggen, maar ik hield mijn mond.

'Ik heb de flits gezien. Maar jij zit muurvast. Ik ga papa halen.'

'Niet doen, Willem. Dan pakt Kraai me. Laat me niet achter. We zijn toch broers?'

Martin keek zo bang dat ik niet langer boos kon zijn. Weer greep ik zijn arm, en nu trok ik net zo hard tot mijn broer losschoot uit het gat.

We krabbelden tegen de rotswand op en sleurden zijn fiets achter ons aan. Ik maakte de lamp weer aan de fiets vast, en we gingen snel achter de lichtbundel aan naar het dorp. Martin zei niets, maar hij keek steeds achterom. Hij werd rustiger toen we in het dorp kwamen, maar nu begon hij zich zorgen te maken over papa en mama.

'Ze vermoorden me,' zei hij. 'Weet je hoe duur die tand was? En nu is hij weg.'

Ik grinnikte. 'Hij is niet weg. Hij komt op de wc wel weer te voorschijn. Dan kun je hem er misschien weer in zetten.' Ik pakte de fiets vast. 'Ga nou mee. We praten later wel, als ik tenminste nog ooit een woord tegen je wil zeggen.'

Martin deed zowaar wat ik zei, zonder tegen te spreken.

HOOFDSTUK 5

Twee seconden
voor half elf

Papa keek op zijn horloge toen we de deur door strompelden. 'Twee seconden voor half elf.' Hij keek naar ons op. 'Hé jongens, zijn jullie daar al? Ik verwachtte jullie pas om elf uur.'

'O ha ha, pap, wat ben je weer leuk,' zei ik.

Martin zei niets omdat hij zijn voortanden niet wilde laten zien.

'Hoe was de disco?' vroeg mama.

Als oudste deed Martin meestal het woord, maar nu was het aan mij.

'Niks aan,' zei ik. 'Ik ga nooit meer. Die stomme meneer Brand wilde dat we met meisjes gingen dansen.'

'En met wie heb je gedanst, Willem?'

Ik keek naar Martin. Meestal liet hij geen kans voorbijgaan om me te pesten, maar nu moest hij zijn mond stijf dichthouden.

'O, weet ik niet. Ik ga volgende week niet, hoor.'

'En jij dan, Martin? Vond je het leuk?'

Martin knikte. 'Mm-mm.'

Mama vertrouwde het niet. 'Is dat alles? Mm-mm? Geen gemopper? Er is toch niets gebeurd, hè, lieverd?'

Martin schudde nu van nee. Toen rekte hij zich uit alsof hij doodmoe was.

'Martin is moe,' zei ik. 'Hij heeft zich uitge-sloofd met de kippendans. Zo noemde hij die sprongen van hem. Alle anderen moesten zo hard lachen dat een jongen er bijna van ging overgeven. Meneer Brand zei dat hij nog nooit iemand zo slecht had zien dansen als Martin. Hij zei dat je, als je naar Martin keek, het gevoel had dat je naar een paard keek dat probeerde te fietsen.' Ik keek uitdagend naar Martin, maar hij kon niets terugzeggen.

Mama deed het boek dicht dat ze had zitten lezen. 'Willem toch. Plaag hem niet zo. En nu gauw naar bed, jongens.'

Martin stoof het kleine slaapkamertje van de caravan in voordat ze hem om een nachtkus konden vragen. Ik ging erachteraan, liet mijn kleren op de grond vallen en klom in bed.

Ik wilde slapen, maar het lukte niet omdat Martin lag te woelen, waardoor het hele stapelbed schudde. Toen gaf ik het maar op. Ik gaf een trap tegen Martins bed tot hij zijn zaklamp aanknipte en naar beneden kwam.

'Wat is er?' vroeg ik.

Martin keek me aan of ik gek was. 'Wat er is? We zijn bijna ontvoerd door Kapitein Kraai, en dan vraag jij wat er is?'

Ik verborg mijn lach achter mijn hand. Martin dacht nog steeds dat de gloed onder water het licht van piratenspoken was.

'Ik heb het zelf gezien, Willem. Ik heb het me niet verbeeld. Ik had me achter de rotsen verstopt, en toen ik te voorschijn sprong om jou bang te maken, zag ik de tanden flitsen.'

'Je dacht dat Kapitein Kraai je kwam halen,' fluisterde ik.

'Hij was er echt.'

Ergens vond ik het prachtig dat Martin een koekje van eigen deeg kreeg. Maar ik wist ook dat hij de hele zomervakantie bang zou blijven.

'Weet je dan niet dat die flits niets anders is dan fosforescentie?'

Martin trok zijn wenkbrauwen op. 'Fosforwatte?'

'Fosforescentie. Zo heet het als de zee licht

geeft. Kleine algjes die gestoord worden. Het zijn helemaal geen spoken. Het is wetenschap. Sukkel.'

Martins wenkbrauwen schoten op en neer. Eerst geloofde hij me niet, toen was hij opgelucht en daarna werd hij kwaad. Hij keek me vuil aan. 'Had dat meteen gezegd.'

'Ik had het zelf veel te druk met bang zijn voor iemand die deed alsof hij een spook was.'

Hij wilde weer in bed klimmen, maar bleef toen staan. 'Willem? Toen je vanavond dacht dat Kapitein Kraai rondspookte, was je toen echt bang? Heel, heel erg bang?'

'Ja,' gaf ik toe.

'Ik ook,' zei Martin, en zijn stem klonk ongewoon zacht. 'Wat een rotgevoel.'

'Ja,' zei ik weer.

Martin stak zijn hand uit. 'We spreken iets af. Dat was een rotstreek van me, en daarom zal

ik je de rest van de zomer geen geintjes meer flikken.'

Een betere afspraak kon ik niet bedenken.

'Akkoord,' zei ik en ik schudde zijn hand.

Het lukte Martin om zich vier hele dagen aan de afspraak te houden. Toen maakte hij me wijs dat ik kaal werd. Toch was vier dagen meer dan ik had durven hopen.

Toen Martin die avond eindelijk in bed lag, viel ik meteen in slaap. Grappig genoeg voelde ik me stukken beter nu ik wist dat Martin bang was geweest voor de tanden van Kapitein Kraai.

Pap had gelijk gehad. Het was fosforescentie. Het komt bijna niet voor. Ik bofte dat ik het gezien had.

De volgende ochtend stopte HP met zijn brabbeltaaltje. Het ging per ongeluk. Het kwam doordat hij een nieuwtje had dat hij niet kon verzwijgen. HP was vroeg op, net als altijd. En net als altijd legde hij een vuile sok over onze neuzen, voor het geval we nog sliepen.

Toen hij bij Martin kwam, deed Martin één slaperig oog open en gaapte breed. 'Whaaaaaa,' gaapte hij. Niks mis mee, behalve dan dat je zijn voortanden zag. Anderhalve voortand, om precies te zijn.

'Martins tand is weer afgebroken!' gilde HP in

gewone-mensentaal. 'Mam, pap, Martins tand is weer kapot! Weet je wel hoeveel dat kost?' Ik sprong meteen mijn bed uit. Ik moest en zou horen welke smoes Martin nu weer had verzonnen om te proberen zich eruit te kletsen.

Lees meer over Willem en Martin:

Willem en zijn broer Martin zijn de pineut. Ze moeten van hun ouders hun vakantie doorbrengen in de bibliotheek. Dat is echt een nachtmerrie. Vooral vanwege de bibliothecaresse, mevrouw Kan, die non-stop op de loer ligt met haar aardappelkanon in de aanslag. Kunnen Willem en Martin haar aan? Of krijgen ze net als 'lelijke' Frank ook een bijnaam na hun bieb-avontuur?

Eoin colfer

Eoin Colfer is geboren en opgegroeid in Wexford in het zuidoosten van Ierland. Na zijn studie werkte hij als leraar. Zijn eerste boek, *Benny en Omar*, werd meteen een bestseller in Ierland. *Artemis Fowl*, het eerste deel in een trilogie over de briljante jonge antiheld, was een wereldwijde bestseller. *Artemis Fowl* werd meerdere keren bekroond. Het werd gekozen tot WH Smith People's Choice Children's Book of the Year en bekroond met de British Book Award voor het beste kinderboek van het jaar. Ook werd het genomineerd voor de Whitbread Children's Book Award en de Blue Peter Book Award. Eoin Colfer woont in Ierland met zijn vrouw en twee zonen.

www.eoincolfer.com